ELMER

David McKee

ALTEA

Esto era una vez un rebaño de elefantes. Había
elefantes jóvenes, elefantes viejos, elefantes gordos,
elefantes altos y elefantes flacos. Elefantes así y asá y de
cualquier otra forma, todos diferentes, pero todos felices
y todos del mismo color... menos Elmer.

Elmer era diferente.
Elmer era de colores.
Elmer era amarillo.
    y naranja
    y rojo
    y rosa
    y morado
    y azul
    y verde
    y negro
    y blanco.
Elmer *no era* color elefante.

Y era Elmer el que hacía felices a los elefantes. Algunas veces Elmer jugaba con los elefantes, otras veces los elefantes jugaban con él; pero casi siempre que alguien se reía era porque Elmer había hecho algo divertido.

Una noche Elmer no podía dormir porque se puso a pensar, y el pensamiento que estaba pensando era que estaba harto de ser diferente. «¿Quién ha oído nunca hablar de un elefante de colores?», pensó. «Por eso todos se ríen cuando me ven.»

Y por la mañana temprano, cuando casi nadie estaba todavía despierto del todo, Elmer se fue sin que los demás se dieran cuenta.

Caminó a través de la selva y se encontró con otros animales.

Todos le decían:
—Buenos días, Elmer.
Y Elmer contestaba a cada uno:
—Buenos días.

Después de una larga caminata,
Elmer encontró lo que andaba
buscando: un árbol bastante alto. Un
árbol lleno de unos frutos color elefante.
Elmer agarró el tronco con la trompa
y sacudió y sacudió el árbol
hasta que todos los frutos cayeron
al suelo.

Cuando el suelo quedó cubierto de frutos, Elmer se tiró encima de ellos y se revolcó una vez y otra, de un lado y del otro, hasta que no le quedó ni rastro de amarillo, de naranja, de rojo, de rosa, de morado, de azul, de verde, de negro o de blanco. Cuando terminó de revolcarse, Elmer era igual que cualquier otro elefante.

Después de esto, Elmer emprendió el camino de vuelta a su rebaño. Se encontró de nuevo con los animales.

Esta vez le decían todos:
—Buenos días, elefante.
Y Elmer sonreía y contestaba:
—Buenos días —y estaba encantado de que no le reconocieran.

Cuando Elmer se encontró con los otros elefantes vio que estaban todos de pie y muy quietos. Ninguno se dio cuenta de que Elmer se acercaba y se ponía en el centro del rebaño.

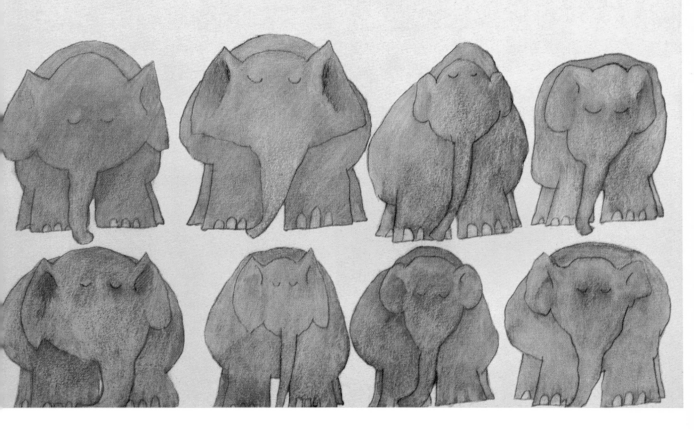

Al cabo de un rato Elmer se dio cuenta de que algo raro pasaba; pero ¿qué podía ser? Miró a su alrededor: era la misma selva de siempre, el mismo cielo luminoso

de siempre, la misma nube cargada de lluvia que aparecía siempre de vez en cuando y finalmente los mismos elefantes de siempre. Elmer los miró bien.

Los elefantes permanecían completamente quietos. Elmer no los había visto nunca tan serios. Cuanto más miraba a aquellos elefantes tan serios, tan silenciosos, tan quietos y tan aburridos, más ganas le entraban de reír. Por fin no pudo aguantarse más, levantó la trompa y gritó con todas sus fuerzas:

Los elefantes saltaron por el aire de pura sorpresa y cayeron patas arriba:

—¡Ah, uh, oh...! —exclamaron, y luego vieron a Elmer que se moría de risa.

—¡Elmer! —dijeron—. ¡Seguro que es Elmer!
Y todos los elefantes empezaron a reírse como nunca
se habían reído antes.

Y mientras se estaba riendo empezó a llover; la nube descargaba toda el agua que llevaba y los colores de Elmer empezaban a verse otra vez. Los elefantes se reían cada vez más al ver que la lluvia duchaba a Elmer y le devolvía sus colores naturales.

—¡Ay, Elmer! Tus bromas han sido siempre divertidas,

pero ésta ha sido la más divertida de todas —dijo un
viejo elefante, ahogándose de risa.

Y otro propuso:

—Vamos a celebrar una fiesta en honor de Elmer.
Todos nos pintaremos de colores y Elmer se pondrá
color elefante.

Y eso fue justamente lo que todos los elefantes hicieron. Cada uno se pintó como mejor le pareció y, desde entonces, una vez al año repiten esa fiesta. Si en uno de esos días especiales alguien ve a un elefante color elefante, puede estar seguro de que es Elmer.

Título original: *Elmer*
Primera edición publicada en el Reino Unido
por Andersen Press Ltd., Londres
© 1989, David McKee
© Traducción: María Puncel
© 1990, Altea Taurus, Alfaguara, S. A.
© 1995, Santillana, S. A.
Juan Bravo, 38. 28006 Madrid

Dirección editorial: Elena Fernández-Arias Almagro

Aguilar, Altea, Taurus, Alfaguara, S. A. de Ediciones
Beazley, 3860. 1437 Buenos Aires
Aguilar, Altea, Taurus, Alfaguara, S. A. de C. V.
Avda. Universidad, 767. Col. Del Valle,
México, D.F. C.P. 03100

Printed in Spain
Impreso en España por:
ORYMU, S. A.
Pinto (Madrid)

ISBN: 84-372-2186-2
Depósito legal: M-40.413-1997

Primera reimpresión: diciembre 1997